An Tóraíocht
Úrscéal grafach le
Colmán Ó Raghallaigh

Líníocht & Litreoireacht - Paul Young
Dathadóireacht - Michael McGrath
The Cartoon Saloon

CLÓ MHAIGH EO

Do mo chara, Michael.

CNOCÁN....
...IN AICE LE TEAMHAIR NA RÍ.
CAOILTE AGUS OISÍN..
....AG FAIRE.
CHUCU AN MARCACH....
...AR COSA IN AIRDE.
ACH...
FAN ORT A MHICEÓ... NÓ BAINFEAR AN CLOIGEANN DÍOT!
EH?
MUISE, A DHIARMAID, A CHARA, NÍL MUID ACH AG MAGADH!
NÁR AITHIN TÚ MUID?!

TAOBH ISTIGH TÁ AN FÉASTA FAOI LÁNSEOL-ÓIR TÁ FIONN MAC CUMHAILL GEALLTA LE GRÁINNE.
NUA GACH BIA AGUS SEAN GACH DI...
ACH...
CÉARD TÁ DÉANTA AGAM?
NÍL AON DABHT FAOÍ, SÍ AN BHEAN IS ÁILLE IN ÉIRINN Í.
ANSIN...
?
...GLUAISEANN AN STRÁINSÉAR CHUN BOIRD.
ÓLFAIDH TÚ SLÁINTE FHINN, A BHUACHAILL!
ÓLFAIDH AGUS FÁILTE. TÁ MÉ SPALPTHA!
AN BALL SEIRCE!...
M'ANAM!

COGAR. CÉ HÉ AN LAOCH ÓG SIN THALL?
DIARMAID Ó DUIBHNE.
ACH DÉAN DEARMAD AIR, A CHAILÍN. TÁ TÚ GEALLTA LE FIONN!
ÉIST DO BHÉAL A ÓINSEACH!
TÁ CHUILE RUD ATHRAITHE ANOIS.
AIRÍONN DIARMAID NA SÚILE ATÁ SÁITE ANN.
HÁ HÁ!
CÉ HÍ SIN?
COGAR...
TUILLEADH FÍONA, A FHEARA?
MAITH AN BHEAN. LÍON SUAS IAD!
AN DEOCH SHUAIN!
SLÁINTE!!
AR BALL BEAG...
NNNGAGH...

?
CÉARD TÁ AG TARLÚ?
NÍL A FHIOS AGAM ACH TÁ RUD ÉIGIN AISTEACH FAOI SEO.
TUSA!
A DHIARMAID UÍ DHUIBHNE! CUIRIM FAOI GHEASA THÚ MÉ A THÓGÁIL LEAT AS AN LÁTHAIR SEO!
GABH MO LEITHSCÉAL A BHEAN UASAIL... ACH NÍL AON AITHNE AGAM ORT, AN BHFUIL?
BEIDH AN-AITHNE AGAT ORM FEASTA. IS MISE GRÁINNE, INÍON AN ARDRÍ.
ANOIS....
TRÍD AN NGRIANÁN SIN THALL... LÁITHREACH!
IN AINM CHROIM!
CÉARD 'TÁ Á RÁ AICI?

IMÍONN AN BANPHRIONSA...
...AGUS A CLOIGEANN SAN AER AICI.
AR CHUALA SIBH AN MÉID A DÚIRT SÍ?
TÁ MÉ SCRIOSTA!
NÍL AON LEIGHEAS ANOIS AIR...
M'ANAM GO BHFUIL.
MÁ TÁ TÚ FAOI GHEASA...
...CAITHFIDH TÚ IMEACHT.
ACH NÍ THIG LE LAOCH IMEACHT TRÍ CHÚLDORAS.
FANAIGÍ SIAR!

ANSIN DE LÉIM...
...THAR CLAÍ AMACH...
...ÁIT A BHFUIL GRÁINNE AG FANACHT.
BÍMIS AG IMEACHT MAR SIN...
MAR IS MIAN LEAT.
A DHIARMAID!
FAN ORT, A DHIARMAID. FAN GO FÓILL!
MÚINFIDH MISE BÉASA DUIT, A ÓINSEACH!

STOP, A DEIRIM!
TIG LINN FILLEADH. NÍL SÉ RÓ-DHEIREANNACH FÓS.
NÍ FHILLFIDH! ÉIST LIOM. GABH SIAR TUSA AGUS FAIGH CARBAD DÚINN.
DAMNÚ ORT.
ACH CATHFIDH SÉ IMEACHT.
AR BALL...
CÉARD É SIN?
ÁÁÁÁÁÁÚÚÚÚ
Ó, A DHIARMAID, CÉN MHOILL ATÁ ORT?

AR DEIREADH FILLEANN AN LAOCH AGUS CHUN BÓTHAIR LEO ARÍS...
...CHOMH FADA LE BEALACH ÁTHA LUAIN.
FÁGTAR CAPALL AR CHAON BHRUACH NA HABHANN...
TÉANAM ORT.
ISTEACH SAN UISCE?
...CHUN AN DALLAMULLÓG A CHUR AR AN LUCHT LEANTA.
DE SHIÚL NA GCOS ANSIN...
AN ÁIT A MBÍONN UISCE NÍ FHÁGTAR AON LORG.
ÉIRIGH AS DO CHUID AMAIDÍ, A ÓINSEACH!

I NDOIRE DÁ BHAOTH.
SLAIS
CÉ GO BHFUIL BALLA COSANTA TÓGTHA DO GHRÁINNE...
...CAITHFIDH DIARMAID FANACHT INA SHUÍ AGUS É AR AIRE.

IDIR AN DÁ LINN TÁ SÉ INA RAIC I DTEAMHAIR NA RÍ.
ACH NÍ RAIBH LEIGHEAS AR BITH AG DIARMAID AIR-
DÚN DO CHLAB, A AMADÁIN!
CLUNC
MO SHEACHT MALLACHT ORT, A DHIARMAID NA MBAN!!!
SOS NÁ SUAIMHNEAS NÍ BHEIDH GO DEO ARÍS AIGE!!
ÍOCFAIDH SÉ GO DAOR AS SEO, GEALLAIM DAOIBH.
STRACFAIDH MÉ AS A CHÉILE É...
GAN A THUILLEADH MOILLE CUIRTEAR CLANNA NEAMHAIN, NA LORGAIRÍ, SA TÓIR ORTHU...
...ACH IS GO DROGALLACH, LEISCIÚIL A DHÉANANN SIAD SIN.

NÍL AON MHAITH ANN...
...NÍL TÁSC NÁ TUAIRISC ORTHU.
HUH?
ÉISTIGÍ LIOMSA! CROCHFAIDH MÉ AR BHRUACH NA HABHANN SIBH MUNA DTAGANN SIBH AR A LORG GAN MHOILL!
AR DEIREADH AR AN TAOBH THALL DEN ABHAINN...
NÍL AON DABHT FAOI. CHUAIGH SIAD AN BEALACH SEO.
I NDOIRE DÁ BHAOTH ATÁ SÉ!
TÁ TÚ AGAM ANOIS, A DHIARMAIDÍN!
DÉAN RUD ÉIGIN NÓ BEARFAR ORTHU!
CUIRFIMID BRAN CHUCU.
SCAOILTEAR BRAN CHUCU LE RABHADH...

INA GCODLADH ATÁ AN BHEIRT.
URRR!
UH,,,,CÉARD?....BRAN!
DÚISIGH, A GHRÁINNE, TÁIMID I MBAOL...
CAITHFIMID TEITHEADH, MÁS EA...
CÉN MHAITH DÚINN TEITHEADH? BÉARFAR ORAINN SA DEIREADH.
CUIREANN CAOILTE FIOS AR FHEAR GOIR, FEAR A BHFUIL SCREAD OLLMHÓR AIGE...
IMIGH TUSA GO BEO AGUS CUIR FAINIC ORTHU!
IMÍONN FEAR GOIR AR A DHÍCHEALL...

Á...Á...Á.
...AGUS LIGEANN TRÍ SCREAD A CHLOISTEAR I BHFAD IS I GCÉIN.
ÉISTIGÍ! TÁIMID I NGAR DÓIBH. TIMPEALLAIGÍ AN CHOILL GO BEO!
CAITHFIMID IMEACHT LÁITHREACH, A DEIRIM!
NÍ THEITHFIDH MISE I MO MHEATACHÁN, BÍODH A FHIOS AGAT!
BEIDH RADHARC ORTHU ÓN GNOC SEO, CUIRFIDH MÉ GEALL LEAT.
B'FHÉIDIR....
CÉARD A DÚIRT MÉ LEAT! FÉACH THÍOS IAD!
MAITH GO LEOR, A FHINN...
FÉACH ANOIS Í.
MARBHFHÁISC ORT A DHIARMAID!!!

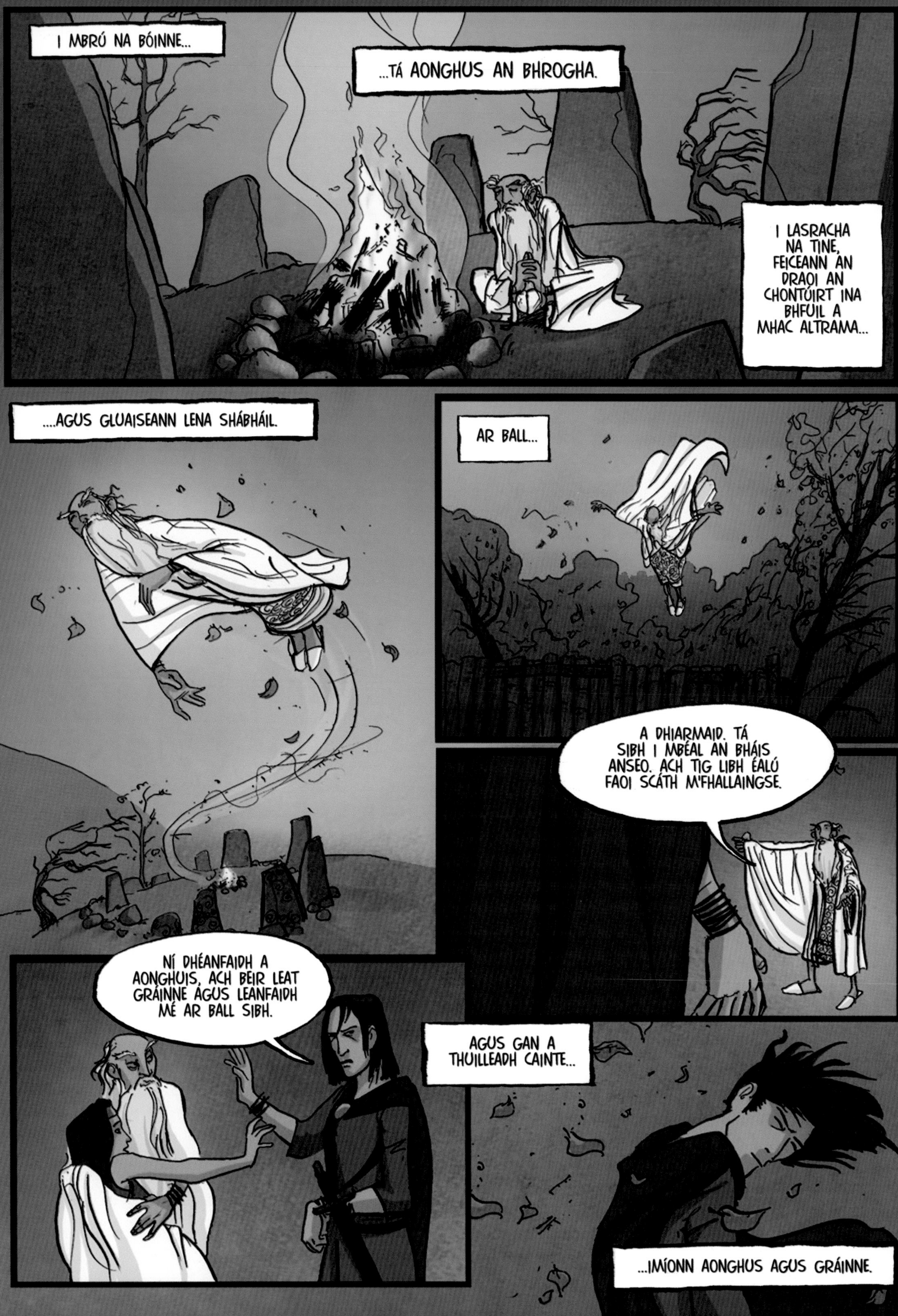
I MBRÚ NA BÓINNE...
...TÁ AONGHUS AN BHROGHA.
I LASRACHA NA TINE, FEICEANN AN DRAOI AN CHONTÚIRT INA BHFUIL A MHAC ALTRAMA...
....AGUS GLUAISEANN LENA SHÁBHÁIL.
AR BALL...
A DHIARMAID. TÁ SIBH I MBÉAL AN BHÁIS ANSEO. ACH TIG LIBH ÉALÚ FAOI SCÁTH M'FHALLAINGSE.
NÍ DHÉANFAIDH A AONGHUIS, ACH BEIR LEAT GRÁINNE AGUS LEANFAIDH MÉ AR BALL SIBH.
AGUS GAN A THUILLEADH CAINTE...
...IMÍONN AONGHUS AGUS GRÁINNE.

Ó DHORAS GO DORAS ANSIN LE DIARMAID....
CÉ ATÁ ANSEO AGAM?
DO CHAIRDE, OISÍN, OSCAR AGUS CLANNA BAOISCNE.
...GO BHFEICE SÉ CÉ TÁ ROIMHE.
DO CHAIRDE, CAOILTE AGUS CLANNA RÓNÁIN.
DO CHAIRDE, CONÁN AGUS CLANNA MÓRNA.
DO CHAIRDE, FIONN MAC CUÁN AGUS AN FHIANN MHUIMHNEACH.
DO CHAIRDE, FIONN MAC GLEOIR AGUS AN FHIANN ULTACH.
ACH ANSIN AG AN SEÚ DORAS...
AODH BEAG AGUS AODH FADA.
...A BHAINFIDH AN CLOIGEANN DÍOT!
AGUS AR DEIREADH... AN SEACHTÚ DORAS.
TAR UAIT, A DHIARMAID. TÁ MÉ AG FANACHT LEAT!
NÍ BHÉARFAIDH AN SEANFHEAR CHOMH HÉASCA SIN ORM.
AGUS...
OIIINGG

ANSIN GO HARD...
TÁ GO DEIMHIN!
.....TRÍD AN AER...
TÁ SÉ AG ÉALÚ!
FÉACH THUAS É!
...AGUS SLÁN GO TALAMH.
SA TÓIR AIR!
ÁÁÁÁÁÁÁ... CÁ BHFUIL SÉ?!
ACH IMÍONN AN LAOCH LE LUAS NA GAOITHE MÁRTA...
AN BEALACH SEO! GO BEO!
...AGUS AN NAMHAID AR A SHÁLA!

TAMALL INA DHIAIDH SIN GAR DO LUIMNEACH...
ANSEO ATÁ SIAD.
MORA DHAOIBH!
A DHIARMAID, A STÓR!
BHÍ A FHIOS AGAM GO DTIOCFÁ!
UMMM!
EH...AN BHFUIL TADA LE NITHE AGAIBH?
M'ANAM GO BHFUIL!
...HUH??..
TÁ MÉ STIÚGTHA!
AN MHAIDIN DAR GCIONN CUIREANN AONGHUIS FAINIC ORTHU...
NÁ TÉIR I GCRANN AON CHOISE NÁ IN UAIMH AON DORAIS NÁ IN OILÉAN AON PHOIRT. NÁ HITHIGÍ SAN ÁIT INA N-ULLMHAÍONN SIBH GREIM BIA. NÁ LUÍGÍ AN DARA HOICHE IN ÁIT AR BITH NÁ AON ÁIT INA N-ITHEANN SIBH.

I SLIABH LUACHRA DÓIBH...
...LEANANN SIAD COMHAIRLE AONGHUIS.
AGUS FÓS FÁGANN CNÁMH BRIC EATARTHU SAN OÍCHE.
LÉ HÉIRÍ NA GRÉINE...
CRAIC!
A DHIARMAID!
UGH--
FAN GO FÓILLEACH, INIS DOM CÉ THÚ FÉIN NÓ GEARRFAIDH MÉ DO SCÓRNACH.
MISE MUADHÁN. ÓGLACH ATÁ AG IARRAIDH MÁISTIR.
TAR LINNE MAR SIN.
AGUS...
HMM...
NACH MÓR AN SPÓRT É SEO?

AN TRÁTHNÓNA SIN...
BEIMID SLÁN ANSEO.
TÉANN DIARMAID AGUS GRÁINNE A LUÍ SAN UAIMH...
...AGUS MUADHÁN AG FAIRE TAOBH AMUIGH.
LE BREACADH AN LAE...
NACH ÁLAINN AN RADHARC É?
ACH ANSIN...
SEOLANN LOINGEAS THAR CUAN ISTEACH...
COINNIGH TUSA SÚIL AR GHRÁINNE, A MHUADHÁIN, AGUS FIOSRÓIDH MISE AN DREAM SEO.
TÁ GO MAITH.

TAGANN TRÍ RÍ CHUN TÍRE AGUS A GCOMPLACHT LEO.
MORA DHAOIBH, A UAISLE...
...AGUS CÉN GNÓ ATÁ ANSEO AGAIBH?
SA TÓIR AR DHIARMAID Ó DUIBHNE ATÁIMID AGUS MÍLE FEAR AGAINN LENA MHARÚ.
BHUAIL MÉ LE DUINE A BHUAIL LEIS INNÉ...
ACH TUGAIGÍ BARAILLE DOM AGUS DÉANFAIDH MÉ GAISCE DAOIBH.
SLÁINTE!!!
BHFUIL SIBH AG FÉACHAINT?
ANSIN...
ÁÁÁÁÁÁ!
BHUEL?
MUISE, TIG LINN FÉIN É A DHÉANAMH NÍOS FEARR.

ACH NÍ MAR A SHÍLTEAR BÍTEAR...
ÍÍÍÍÍÍ
NNNGH!
TRIAILIGÍ AN CEANN SEO MÁS EA...
ACH ARÍS...
UGH!
AGUS...
CEANN EILE FÓS?
ARRGH!!
FÁGTAR DROCHBHAIL AR NA HALLÚRAIGH.

AR DEIREADH IS Í BANTEACHTAIRE FHINN A CHUIREANN AR AN EOLAS IAD...
DIARMAID Ó DUIBHNE A RINNE AN FEALL ORAIBH!
IDIR AN DÁ LINN TÁ AN TRIÚR AG IMEACHT LEO...
A LEITHTHÉID D'AMADÁIN!
NÍ FHACA MÉ A SHÁRÚ RIAMH.
NÁ MISE!
ACH TÁ FONN DÍOLTAIS AR NA HALLÚRAIGH...
FAINIC! SEO CHUGAINN AN NAMHAID!
SCAOILTEAR NA COIN...
GRRRR
ACH...
AÚÚÚ
AGUS..
CRAIC!!
ANSIN
TÁ DEIREADH LEIS NA COIN...
...AGUS LENA MÁISTIR
AGUS ANOIS, A RÍTHE UAISLE...
AAARGH!!!
AR AIS GO DTÍ NA LONGA GO BEO NÓ MARÓFAR MUID AR FAD!

FÁGANN MUADHÁN SLÁN ORTHU ANSIN...
GO DTÉ SIBH SLÁN, A CHAIRDE..
...AGUS GLUAISEANN DIARMAID AGUS GRÁINNE LEO GO DUBHROS.
CAITHFIMID DUL AR CHÚL AN EASA SIN.
ANSIN...
FARAOR, IS COSÚIL GO BHFUIL AN BRAON UISCE FÉIN NÍOS DÁNA NÁ THÚ!
AN BHFUIL ANOIS?
AGUS AR DEIREADH...
...NÍ FÉIDIR AN GRÁ A SHÉANADH.

I LÁR NA COILLE TÁ CRANN CAORTHAINN DRAÍOCHTA...
STOPAIGÍ ANSIN. NÁ TÓGAIGÍ OIREAD AGUS CÉIM EILE!
...AGUS TÁ AN SEARBHÁN LOCHLANNACH ROMPU.
NÁ BÍODH AON IMNÍ ORT. NÍL UAINN ACH CUR FÚINN ANSEO SA CHOILL LE DO CHEAD. NÍL AON SUIM AGAINN SNA CAORA.
TÁ GO MAITH ACH BEIDH MÉ AG COINNEÁIL SÚL ORAIBH!
TÁ SEIFT EILE FÓS AG FIONN.
CUIR CHUGAM AODH AGUS AONGHUS DE CHLANNA MHÓRNA.
TÁ GNÓ AGAM DÓIBH.
IS FADA MUID AG IARRAIDH BHEITH SNA FIANNA. SEO ÁR SEANS!
FÍOR DUIT, A DHEARTHÁIR.
BÍODH CIALL AGAIBH. NÍ FÉIDIR AN SEARBHÁN LOCHLANNACH A SHARÚ!
FÁG AN BEALACH, A OISÍN. GHEOBHAIMID NA CAORA NÓ CEANN DHIARMADA MAR A GHEALLAMAR.
AMADÁIN.
AG SAOTHRÚ BHUR MBÁIS FÉIN ATÁ SIBH!

TAMALL INA DHIADH SIN...
A DHIARMAID, TAR AMACH ANSEO!
CÉ ATÁ ANSIN?
MÍNÍONN AN BHEIRT A GCÁS...
...ACH TÁ DIARMAID AR BUILE!
CLOIGEANN NÁ CAORA NÍ BHFAIGHFIDH SIBH!
BÍODH AGAT MAR SIN!
ACH...
SMAIC
UH!
MÚINTEAR CEACHT TRODA DON BHEIRT...
...AGUS CUIRTEAR CEANGAL NA GCÚIG GCAOL ORTHU.
SCAOIL SAOR MUID NÓ IS DUITSE IS MEASA!
DÚN DO CHLAB, A LEIBIDE.
A DHIARMAID. INIS DOM FAOI NA CAORA SEO!
NÁ BAC LEO!
CODLADH NÁ ITHE NÍ DHÉANFAIDH MÉ GO BHFAIGHE TÚ DOM IAD.
Ó, MO CHREACH! CÉN MÍ-ÁDH ATÁ ORM AR CHOR AR BITH?
TÓGFAIDH MÉ LIOM AN BHEIRT EILE MAR CHÚNAMH.

AR BALL...
CÁ BHFUIL AN SEARBHÁN SEO?
FÉACH THUAS É.
CÉARD 'TÁ UAIBH?
LÁN DOIRN DE NA CAORA SIN.
SIN RUD NACH BHFAIGHFIDH TÚ!
SEACHAIN TÚ FÉIN, A BHRÉAGADÓIR!
ACH...
...TÁ DIARMAID RÓ-ACLAÍ DÓ.
ANOIS... AN LORGA!!
TÁ DEIREADH LEAT ANOIS, A CHARA.
NNNGH!
DAR FIA!!
UGH!

TÁ AN LAOCH LEIS FÉIN AR PHÁIRC AN ÁIR...
TÁ MÉ TUGTHA!
AGUS AN SEARBHÁN CURTHA I BPOLL DOMHAIN..
CHUN NA COILLE LEO ANSIN GO DTÍ GRÁINNE...
AGUS AR DEIREADH.
BAILIGÍ LIBH GO FIONN ANOIS ACH NÁ HABRAIGÍ GUR MISE A MHARAIGH AN SEARBHÁN.
NÍ ÍOSFAIDH MÉ AON CHAOR MUNA BPIOCANN TUSA DOM É!
MUISE!!!

ACH NÍ FÉIDIR AN DALLAMULLÓG A CHUR AR FHIONN.
ABAIR LE FIONN GO BHFUIL NA CAORA AGAINN.
...AGUS GUR MHARAIGH MUID AN SEARBHÁN.
...MMM....
SIN BOLADH DHIARMADA!
BAILIGÍ LIBH GO BEO NÓ BAINFIDH MÉ NA CLOIGNE DÍOBH!
ACH MÁ TÁ AN SEARBHÁN MARBH TIG LINN TRIAIL AR DHUBHROS GAN MHOILL..
AR BALL MAR SIN- CLUICHE FICHILLE AG BUN AN CHRAINN.
FEICIM AN BEART A BHUAFADH AN CLUICHE DUIT...
ACH CÉARD É FÉIN?
'SPEÁNFAIDH MÉ DUIT, A CHARA!
AGUS...
HMMMM
SIN SIN SÍLIM!
BÍODH AN DIABHAL AGAT! SIN AN TRIÚ CLUICHE A GHNÓTHAIGH DIARMAID DUIT!

ACH NÍL DIARMAID I BHFOISEACHT SCREAD ASAIL DÍNN!
NÁ BÍ AG MAGADH FÚM. CÉ HÉ SIN THUAS, MÁS EA?
MORA DHAOIBH!
TAGANN NAOÍ NGARBH NA FÉINNE AR AN LÁTHAIR ANSIN.
IS LEOR SIN. CUIRIGÍ DEIREADH LEIS ANOIS.
CUIRFIDH, GO DEIMHIN!
ACH TÁ AONGHUS AG FAIRE ORTHU ARÍS.
SEO!
AARRGH!
OIBRÍONN AONGHUS A CHUID DRAÍOCHTA AR AN TÉ ATÁ AG TITIM...
AGUS CUIREANN CUMA DHIARMADA AIR.
ÚÚFF
SEO LINN! TÁ SÉ AGAINN!

SLAIS
ACH...
CÉARD?!
BUAILEADH BOB ORAINN! GARBH ATÁ ANN!
ANSIN...
DÉANTAR AN CLEAS CÉANNA ARÍS AGUS ARÍS EILE GO NDÉANTAR SLAD AR NAOI NGARBH NA FÉINNE.
¡ÁÁÁÁÁÁ
¡!!!!!!!!!!!!!
NOCHTANN AN DRAOI ANSIN...
TAR LIOMSA ANOIS, A GHRÁINNE!
AGUS ÉALAÍONN SIAD GO BRÚ NA BÓINNE.
DÉANANN DIARMAID IARRACHT ANSIN TEACHT AR RÉITEACH LE FIONN...
CUIRIMIS DEIREADH LEIS AN GCOIMHLINT SEO ANOIS, A FHINN.
NÍ CHUIRFIDH!
'S TAGANN OLC AS CUIMSE AR OSCAR.
BÍODH AGAT MAR SIN. SEASFAIDH MISE GO BÁS LE MO CHARA!

IS MITHID DÚINN BHEITH AG IMEACHT AS SEO.
Ó CHRANN GO CRANN...
...'S Ó GHÉAG GO GÉAG....
COINNIGH LIOMSA, A OSCAIR!
SA TÓIR ORTHU!
STOP NÁ STAD NÍ DHÉANANN AN BHEIRT ACH CREACH AS CUIMSE...
...AR LUCHT A LEANTA.
AR BALL I MBRÚ NA BÓINNE.
DIARMAID!
MAITH THÚ, A OSCAIR. IS TÚ ATÁ DÍLIS.
DO CHÉAD FÁILTE, A CHUISLE MO CHROÍ.

TAMALL INA DHIAIDH SIN....
TÁ SÉ THAR AM AGAT DEIREADH A CHUR LEIS AN AIGHNEAS SEO. BÍODH SÍOCHÁIN IDIR THÚ FÉIN AGUS DIARMAID, IMPÍM ORT.
TÁ GO MAITH. ACH NÍ DHÉANFAIDH MÉ DEARMAD GO DEO AR AN BHFEALL A RINNEADH ORM.
MAR SIN...
BA CHÓIR DÚINN FÉASTA MÓR A CHAITHEAMH DO FHIONN AGUS DO CHORMAC AR MHAITHE LEIS AN ATHMHUINTEARAS.
SMAOINEAMH MAITH, A STÓR.
CUIREANN DIARMAID AGUS GRÁINNE FUTHU LENA GCÚIGEAR CLAINNE.
DÉANTAR SIN...
ACH NÍL LUIBH NÁ LEIGHEAS AR ÉAD FHINN.

MAIDIN AMHÁIN GO GAIRID INA DHIADH SIN DÚISÍONN DIARMAID DE PHREAB.
SHÍL MÉ GUR CHUALA MÉ AN TSEILG.
NÍL ANN ACH CLEAS. LÚIGH SIAR, A STÓR.
ACH ANSIN ARÍS...
CAITHFIDH MÉ ÉIRÍ!
TUGANN SÉ NA COSA LEIS.
CHOMH FADA LE BINN GHULBAIN.
ÁIT A BHFUIL CAOGA D'FHIANNA ÉIREANN MARAITHE CHEANA AG TORC BHINN GHULBAIN.
LIG DOM CUIDIÚ LIBH.
ACH NACH BHFUIL GEAS ORT GAN DUL AG SEILG?
NÁ BÍ AMAIDEACH! SEO LINN GO BEO.
BÍODH AGAT MAR SIN... A AMADÁIN.

NOCHTANN FIA...
CÁ BHFUIL SÉ?
GRRRR
CHUCU AN TORC ANSIN AGUS SCAOILEANN DIARMAID A SHLEÁ. ACH...
URRRRK
SÁITEAR AN CLAÍOMH I NDROIM AN TOIRC...
ACH IS CUMA...
MAR...
...GOINTEAR DIARMAID GO DONA SA BHOLG.
TITEANN AN LAOCH AGUS É AG DORTADH FOLA.
NNNGH. BHFUIL DEIREADH LIOM?
...ÚÚÚ..ÚÚ...
IMÍONN AN CÚ DE RUATHAR CHUN CABHAIR A FHÁIL...
UUUUGH---

TAGANN FIONN AGUS AN FHIANN AR AN LÁTHAIR...
MUISE! NÁ HABAIR GUR SÍNTE ATÁ TÚ, A FHEALLAIRE, IS MAITH MAR A THUILL TÚ AN CHRÍOCH SEO.
CÉARD TÁ Á RÁ AGAT?
AN NDÉARFÁ SIN, AGUS AN ILIOMAD UAIRE A SHÁBHÁIL MISE TÚ?
TIG LEAT É A LEIGHEAS LE DEOCH UISCE AS DO LÁIMH. CHUIG AN TOBAR LEAT!
ACH IS CNUIMH I GCROÍ FHINN É AN T-ÉAD...
AGUS...
...SCAOILEANN SÉ UAIDH AN T-UISCE.
AGUS ARÍS AN DARA HUAIR.
ÉIST LIOM! MUNA DTABHARFAIDH TÚ AN T-UISCE DÓ, BAINFIDH MÉ AN CLOIGEANN DÍOT.
ACH...
TÁ SÉ RÓ-DHEIREANNACH.

AR DEIREADH!!
MARBHFHÁISC ORT!!!
FAN ORT! NACH LEOR BÁS AMHÁIN?
CAITHFIMID AN DROCHSCÉAL A INSINT DO GHRÁINNE..
AR THÁIBHLE AN RÁTHA TÁ GRÁINNE AG FAIRE.
CÁ BHFUIL TÚ, A DHIARMAID?
...NUAIR A FHEICEANN SÍ CHUICI AN SLUA.
NÁ HABAIR GUR CÚ DHIARMADA ATÁ ANSIN ACU!
ACH IS É...

TUIGEANN SÍ AN SCÉAL AR AN BPOINTE.
DIARMAID!!!
AGUS TITEANN THAR BALLA AMACH.
IN AINM CHROIM! CÉARD A THARLA?
SAOLAÍODH TRIÚR DI ACH MARBH ATÁ SIAD!
TUSA IS CÚIS LEIS SEO UILIG, A MHEATACHÁIN. ACH IS AICI A BHEAS A CHÚ, BÍODH A FHIOS AGAT.

IMIGÍ AGUS BÉARAIGÍ CHUGAM É, IMPÍM ORT.
DÉANFAIMID SIN AGUS FÁILTE.
AR THAOBH AN TSLÉIBHE TÁ DIARMAID Á CHAOINEADH.
TÁ DEIREADH LEIS AN LAOCH, ACH MAIRFIDH A CHUIMHNE BEO.
LIGIMIS TRÍ GHÁRTHA BRÓIN DÓ!
OCHÓN!!
OCHÓN!!
OCHÓN!!!
TIG LIBH É A BHREITH CHUIG A GHRÁ GEAL ANOIS.
GO RAIBH CEAD MAITH AGAT.
CUIRFIDH MÉ ANAM AERGA ANN. BÉIDH MÉ IN ANN LABHAIRT LEIS CHUILE LÁ ANSIN.

IDIR AN DÁ LINN.
RINNEADH FEALL AR BHUR N-ATHAIR...
...ACH ROINNFIDH MÉ A CHUID ARM ANOIS ORAIBH AGUS BAINFIDH SIBH DÍOLTAS AMACH LÁ ÉIGIN.
BAINFIDH!
GEALLAIMID SIN DUIT ACH TAR UAIT ANOIS, A MHÁTHAIR.
NACH UAIGNEACH ATÁ AN OÍCHE SEO?
IS UAIGNEACH GO DEIMHIN.

FAOI SHOLAS NA GEALAÍ CAOINEANN GRÁINNE...
...Ó, A DHIARMAID... MO CHREACH IS MO LÉAN GUR CHAILL MÉ MO MHÍLE STÓR...
CRÍOCH